D1327479

Meg et Mog

Pour Loveday

Traduit de l'anglais par Anne Krief

Maquette de Didier Gatepaille
Lettrage de Caroline Austin

ISBN : 2-07-055766-9
Titre original : "Meg and Mog"

Publié pour la première fois par William Heinemann Ltd. en 1972,
puis par Puffin Books en 1975.

Publié en 2004 par Puffin Books, Londres, Penguin Group.

Numéro d'édition : 126775
Loi n° 49-956 du 16 juillet 1949
sur les publications destinées à la jeunesse
Dépôt légal : mars 2004

Imprimé en Italie par Printer Trento

Retrouvez Meg et Mog dans :

LES ŒUFS DE MEG

Helen Nicoll et Jan Pieńkowski

GALLIMARD JEUNESSE

Il était une fois
une sorcière
qui s'appelait Meg.

À minuit, le hibou ulula
trois fois pour la réveiller.

Elle se leva pour s'habiller
car elle devait se rendre
à une fête de sorcières.

Elle
mit

ses bas noirs

ses grosses
chaussures noires

son long
manteau noir

et son grand
chapeau noir.

Elle descendit
l’escalier
pour préparer
le petit déjeuner.

Mog, son chat
à rayures, couchait
dans la cuisine.
Il dormait comme un loir.

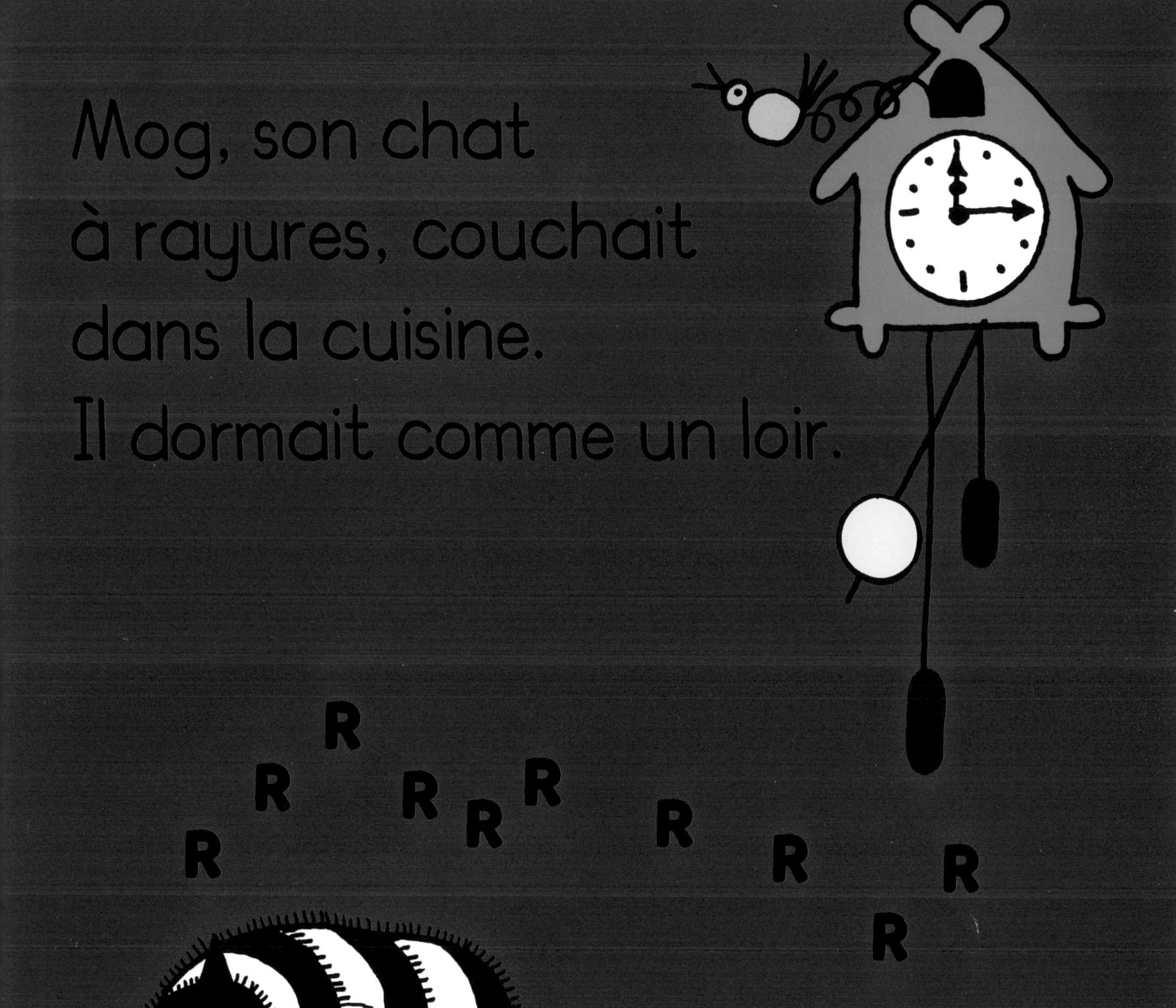

Elle marcha
sur la queue du chat.

MIAOUUU

Elle prit dans
le placard
3 œufs
du pain
du cacao
LAIT
un hareng
CONFITURE

Elle jeta le tout
dans son chaudron et
remua énergiquement.
BLOUP
BLOUP

MIAM
HUM
HIBOU

Tout le monde eut
un bon petit déjeuner.

À une heure
du matin,
elle saisit son balai,
son chaudron
et une
araignée,

et
s’envola
avec
Mog
par
la
cheminée.

Là-haut
dans le ciel,

elle retrouva ses amies
qui allaient à la fête.

Jess

Bess

Tess

et

Cress

Elles se posèrent sur une colline, au clair de lune, pour concocter leur potion magique.

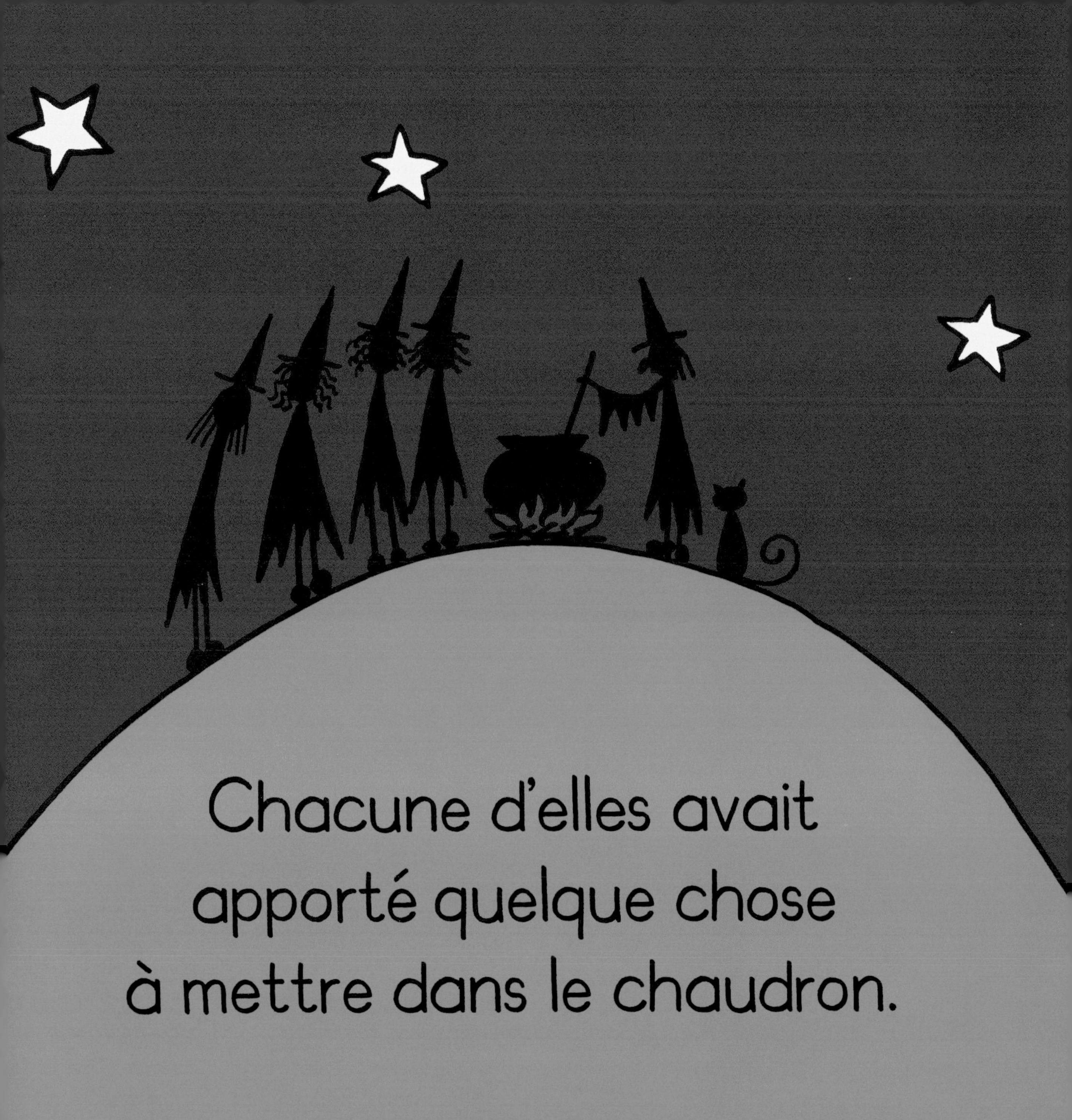

Chacune d'elles avait
apporté quelque chose
à mettre dans le chaudron.

Voici ce qu'elles
y plongèrent :
un cafard
une grenouille

un ver
de terre
une
chauve-souris
une
araignée

Elles remuèrent
ensemble le chaudron
en marmonnant leur
formule magique.

ABRA
Cafard des couloirs
Araignée des baignoires
Craque pète claque
Vous allez voir
Ce que vous allez voir !

Il y eut un
éclair suivi
d'un gros bruit.

Ça n'avait
pas marché.

Bess, Jess,
Tess et Cress s'étaient
transformées en souris
et Mog leur courait après.

L'année prochaine, je les retransformerai en sorcières.

Au revoir !